这是我的书
It's MY BOOK
6级：300字

"黑"企鹅得救了

作者：英　娃（Ying Wa）
插图：崔青源（Risa Cui）

北京语言大学出版社
BEIJING LANGUAGE AND CULTURE UNIVERSITY PRESS
PHOENIX TREE PUBLISHING INC.

识读 石油 抱 洗 过去 鹅 鸟

句型 可是……

字数 300字

dà hǎi shang yì tiáo zhuāng shí yóu de chuán fān le hǎi
大海上，一条装石油的船翻了，海

shuǐ bèi shí yóu wū rǎn le lì li hé yé ye zài hǎi
水被石油污染了。丽丽和爷爷在海

biān kàn dào yì zhī qǐ é tā shēn shang dōu shì hēi hēi
边看到一只企鹅。它身上都是黑黑

de shí yóu yí dòng yě bù néng dòng
的石油，一动也不能动。

tā men mǎ shàng bǎ qǐ é bào huí jiā xiǎng bǎ qǐ é shēn
他们马上把企鹅抱回家，想把企鹅身
shang hēi hēi de shí yóu kuài kuài xǐ diào zhè yàng cái néng jiù
上黑黑的石油快快洗掉，这样才能救
huó tā kě shì shí yóu hěn nán xǐ lì li shēng qì de
活它。可是石油很难洗。丽丽生气地
shuō chuán shang de shí yóu dào jìn hǎi li huì yǒu hěn
说：“船上的石油倒进海里，会有很
duō qǐ é shuǐ niǎo biàn chéng hēi qǐ é hēi shuǐ niǎo de
多企鹅、水鸟变成黑企鹅、黑水鸟的！”

dà jiā máng le hǎo jǐ tiān xiǎng le hǎo duō bàn fǎ
大家忙了好几天，想了好多办法，

cái bǎ qǐ é xǐ gān jìng
才把企鹅洗干净。

qǐ é kāi shǐ chī dōng xi le lì li měi tiān gěi tā

企鹅开始吃东西了。丽丽每天给它

chī yú tā de shēn tǐ màn màn hǎo qi lai le

吃鱼，它的身体慢慢好起来了。

shí jiān yì tiān tiān guò qu qǐ é bú xiàng yǐ qián nà
时间一天天过去，企鹅不像以前那
yàng kuài lè le yé ye gào su lì li qǐ é
样快乐了。爷爷告诉丽丽：“企鹅
xiǎng jiā le tā de jiā shì dà hǎi wǒ men bǎ tā
想家了，它的家是大海，我们把它
sòng hui jiā ba
送回家吧。”

lì li hé yé ye bǎ qǐ é dài dào hǎi biān kàn
丽丽和爷爷把企鹅带到海边，看
zhe tā yóu zǒu lì li hěn bú yuàn yì hé qǐ é
着它游走。丽丽很不愿意和企鹅
fēn kāi tā nán guò de kū le
分开，她难过地哭了。

dì èr nián xià tiān lì li hé yé ye lái dào hǎi biān
第二年夏天，丽丽和爷爷来到海边，
kàn jiàn yì zhī qǐ é cháo tā men zǒu lai lì li shuō
看见一只企鹅朝他们走来。丽丽说：
tā jiù shì nà zhī bèi wǒ men jiù guo de qǐ é ba
“它就是那只被我们救过的企鹅吧？
tā lái kàn dà jiā le duō me kě ài de qǐ é a
它来看大家了！”多么可爱的企鹅啊！

1 大海上，一条装石油的船翻了，海水被石油污染了。丽丽和爷爷在海边看到一只企鹅。它身上都是黑黑的石油，一动也不能动。

2 他们马上把企鹅抱回家，想把企鹅身上黑黑的石油快快洗掉，这样才能救活它。可是石油很难洗。丽丽生气地说："船上的石油倒进海里，会有很多企鹅、水鸟变成黑企鹅、黑水鸟的！"

3 大家忙了好几天，想了好多办法，才把企鹅洗干净。

4 企鹅开始吃东西了。丽丽每天给它吃鱼，它的身体慢慢好起来了。

5 时间一天天过去，企鹅不像以前那样快乐了。爷爷告诉丽丽："企鹅想家了，它的家是大海，我们把它送回家吧。"

6 丽丽和爷爷把企鹅带到海边，看着它游走。丽丽很不愿意和企鹅分开，她难过地哭了。

7 第二年夏天，丽丽和爷爷来到海边，看见一只企鹅朝他们走来。丽丽说："它就是那只被我们救过的企鹅吧？它来看大家了！"多么可爱的企鹅啊！

1
2
3
4
5
6
7
看图讲故事